Alaw Môn Evans ★ Lowri Môn Evatchard ★ Alaw Swyn Pritchard

Efa Gwen Pritchard ★ Loms ★ Ffion Haf Murphy

Dwynwen Haf Davies ★ Manon Ffo Haf Gr......kins

Martha Rhys Owen ★ Mabli Rhys Owen ★ Efa Gwyn ★ Nyfai.......lur

Eilidh Tudur Adair ★ Alaw Lois Davies ★ Swyn Eiry Davies.....berts

Sara Ceindeg Thomas ★ Meia Elin Evans ★ Lili Davies-Jones ★ Marged Elen Evans

Alwen Eifion Hughes ★ Mia Nel Jones ★ Lleucu Elen ap Llywelyn

Mabli Gwenllian ap Llywelyn ★ Alys Haf Mili Dafydd ★ Branwen Elias Rhys

Martha Grug Fychan ★ Ani Glyn Pritchard ★ Angharad Mair Jones

Cara Mair Llewelyn ★ Carys Lili Campbell ★ Martha Gwen Hopkins

Eiry Glain Williams   Elsi Dyfi Davies

Mari Aerona Finnigan   Beca Lois Roberts

Megan Haf Roberts   Mared Alaw Jones

Eira Mai Hughes-Lewis   Awen Hâf Hughes-Lewis

Mari Gwenllian Hughes   Eos Dwyfor Trimble

Sisial Maela Karadog   Leisa Gwenllian Hughes

Aniela Menai Williams   Elin Mai Lewis

Lara Swyn Pearson ★ Elen Mary Jones ★ Maïwenn Enfys ★ Fanw Hannah

Gwenllian Elisabeth Dafydd ★ Elliw Mair Dafydd ★ Gwenlli Mair Anscombe Jones

Cara Lliwen Anscombe Jones ★ Eos Haf Hopkins ★ Fflur Meleri Jones

Lleucu Haf Lilian Griffiths ★ Elena Wyn Owen ★ Martha Cadi Champion

Annes Elena Wigley ★ Cadi Mai Lloyd ★ Beca Elin Lloyd ★ Erin Haf Lloyd

Greta Marged Wyn ★ Leisa Gwen Roberts ★ Eva Alys Dumbrill

Élodie Hawys Dumbrill ★ Alys Amelia Horn ★ Niamh Kate Scofield

Talia Meinir Jones ★ Cari Morgan-Williams ★ Mari Gwenllian Thomas

Llinos Marged Thomas ★ Begw Fflur Gruffydd ★ Mia Elizabeth Hardy

Mali Siwan Yim-Jones ★ Efa Mèi Yim-Jones ★ Gwenan Mair Jones ★ Magi Fflur Jones

Esther Gwenllian Smith ★ Martha Eiry Bowen ★ Nesta Lili Bowen ★ Efa Swyn Jones

Nel Owen-Harding ★ Marged Bryn Williams ★ Arwen Elinor Jones

Geneth wych a merch fedrus

Rhif: # _ _ _

Mae'r llyfr gwych yma yn eiddo i

I Anest Erwan, Gwenith Eluned,
Gwenllian Haf a Myfi Huw
– Genod Gwych, un ac oll.

Gyda diolch diddiwedd i Paul
ac Elis Gwynedd (YNWA)

X X X

Argraffiad cyntaf: 2019
© Hawlfraint Medi Jones-Jackson a'r Lolfa Cyf., 2019
© Hawlfraint darluniau Telor Gwyn
Dylunio: Dyfan Williams

Mae hawlfraint ar gynnwys y llyfr hwn ac mae'n anghyfreithlon i lungopïo neu atgynhyrchu
unrhyw ran ohono trwy unrhyw ddull ac at unrhyw bwrpas
(ar wahân i adolygu) heb gytundeb ysgrifenedig y cyhoeddwyr ymlaen llaw.

Dymuna'r cyhoeddwyr gydnabod cymorth ariannol Cyngor Llyfrau Cymru.

Rhif llyfr rhyngwladol: 978 1 78461 719 6

Cyhoeddwyd ac argraffwyd yng Nghymru
gan Y Lolfa Cyf., Talybont, Ceredigion, SY24 5HE
e-bost: ylolfa@ylolfa.com
y we: www.ylolfa.com
ffôn: 01970 832304
ffacs: 01970 832782

Mae hon i enethod o'r gogledd i'r de,

Cefnogwn ein gilydd a mynnu ein lle,

Edrychwn o'n cwmpas a dathlu'r holl ddawn

Gan ferched cŵl Cymru, yr arwyr go iawn!

Cerddorion, athletwyr, pencampwyr eu maes

Yn creu ac yn dringo i'r top, fel Cymraes.

Ein hanes, ein heddiw – mae'r dyddiau i ni

Yn llawn anturiaethau a heriau di-ri.

Gyda hyder a nerth mi siapiwn ein byd

Fel chwiorydd o'n blaenau, sydd yma o hyd.

Manon Awst

Cyhoeddwyd fel rhan o brosiect Her 100 Cerdd 2018
dan ofal Llenyddiaeth Cymru.

Y MERCHED

MAIR RUSSELL-JONES

GENOD GWYCH a MERCHED MEDRUS

EILEEN BEASLEY

ANGHARAD TOMOS

BETTY CAMPBELL

TORI JAMES

LAURA ASHLEY

GWENDOLINE A MARGARET DAVIES

AMY DILLWYN

Sgeti, Abertawe 1845–1935

Dynes fusnes gyntaf Cymru ... a rebel go iawn

Roedd Amy Dillwyn wastad yn meddwl am eraill ac eisiau gwella bywydau'r bobl o'i chwmpas – y merched, y gweithwyr a'r rhai llai ffodus na hi.

Cafodd ei geni i deulu cyfoethog, ond newidiodd bywyd Amy yn syfrdanol ar ôl marwolaeth sydyn ei thad, ei brawd a'i chariad.

Oedd, roedd ei thad yn ddyn da ond yn ddyn busnes gwael. Roedd cannoedd yn cael eu cyflogi yn ei waith sinc ond gadawodd ddyledion di-ri ar ei ôl (£8 miliwn ym mhres heddiw). Doedd neb ond Amy ar ôl i gamu i'r adwy ac achub y dydd.

Er mawr dristwch, aberth cyntaf Amy oedd gorfod gwerthu tŷ mawr crand y teulu a phopeth oedd ynddo – dodrefn, gweithiau celf, medalau aur ei thaid a brwshys llawr y gweision.

Gyda gwaith caled a dyfalbarhad diddiwedd ganddi cafodd holl ddyledion y cwmni eu talu, ac o dan arweinyddiaeth Amy daeth y gwaith sinc yn gwmni rhagorol o lwyddiannus. Hwrê!

3 NOD AMY:
- Achub y cwmni.
- Cadw dros 300 o swyddi.
- Ailsefydlu enw da ei theulu.

"Rydw i'n mynd yn ŵr busnes" ysgrifennodd yn llawn balchder mewn llythyr at ei ffrindiau.

Daeth Amy yn fyd-enwog am fod yn wraig fusnes heb ei hail mewn cyfnod pan nad oedd merched yn bodoli yn y byd busnes o gwbl.

Treuliodd weddill ei hoes yn herio ac yn ymladd dros hawliau merched.

3 ffaith am Sinc

Zinc 30 Zn 65.39

- Elfen gemegol (symbol Zn).
- Metal gwyn-las.
- Cael ei roi ar ben haearn neu dur i'w stopio rhag rhydu.

CAWS!

Chwaer fawr Amy, Mary, oedd un o ffotograffwyr cyntaf Cymru. Hi oedd y person cyntaf yn y byd i gyd i dynnu llun o ddyn eira.

Ar ôl i Amy ymddeol roedd ganddi ddau hobi sef chwarae polo dŵr, a gamblo mewn casinos yn Monte Carlo (ond dim ar yr un pryd, gobeithio!).

MONTE CARLO

(Noder – roedd Amy'n hoff o smocio sigâr!!!)

Papur Newydd y Pall Mall Gazette 1902.

PALL MALL GAZETTE

UN O FERCHED MWYAF RHAGOROL PRYDAIN

Rhesymol v Ffasiwn

Nid ei phen busnes oedd yr unig beth i ennill sylw i Amy. Roedd hi'n edrych yn wahanol iawn i lawer o ferched o'i chwmpas.

Roedd Amy yn credu y dylai merched wisgo mewn ffordd ymarferol a chyfforddus.

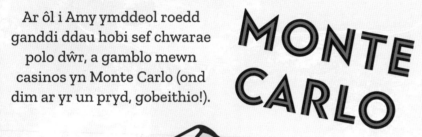

Ffasiwn y dydd

- Corset wedi ei gwneud o esgyrn morfil i ddal y bol i mewn.
- Sgertiau trwm a sawl haen o bais.
- Esgidiau uchel.
- Bystl – i wneud i'r pen-ôl edrych yn fwy!
- Clogyn tyn – methu symud breichiau

= methu anadlu, methu symud.

Ffasiwn Amy

- Het wellt ymarferol.
- Siaced a blows syml.
- Sgert ysgafn.
- Esgidiau fflat

= iachus, synhwyrol ac ymarferol.

ELIZABETH 'BETSI' CADWALADR

Llanycil, Y Bala 1789–1860

Nyrsio a gofalu

Roedd Betsi yn hoff o antur! Yn un o 16 o blant (ia, 16!) aeth Elizabeth, neu Betsi i'w ffrindiau, yn forwyn yng ngwesty Plas yn Dre yn y Bala ond roedd ei phen yn llawn breuddwydion am fyd y tu hwnt i Gymru.

Un noson clymodd ei dillad gwely at ei gilydd a dringo allan o'i stafell wely. Am ddihangfa!

I ffwrdd â hi i Lerpwl, wedyn Llundain, cyn mynd yn forwyn i gapten llong. Hwyliodd ar draws y moroedd gan ymweld â gwledydd mawr y byd – Tsieina, India, Awstralia, De America... merch o Lanycil ym mhedwar ban byd.

Bu galw ar Betsi i helpu nyrsio'r bobl sâl ar y llong a hyd yn oed helpu i eni babi neu ddau. Cafodd flas ar nyrsio ac ar ôl blynyddoedd ar y môr aeth i hyfforddi fel nyrs yn Ysbyty Guy's, Llundain.

Fel nifer o rai eraill, roedd Betsi wedi dilyn y straeon yn y papurau newydd am Ryfel y Crimea (1853-1856) a phenderfynodd bod rhaid iddi fynd yno i nyrsio'r milwyr. Roedd angen ei gofal arnyn nhw oherwydd roedd gofal gwael ac afiechydon yn lladd mwy o'r milwyr nag oedd yr ymladd a'r brwydro.

Yn 65 mlwydd oed teithiodd draw i benrhyn y Crimea (lle mae Wcráin ar y map heddiw).

Cred Betsi oedd bod cadw'n lân yn lleihau achosion o glefydau ac afiechydon. Ac roedd hi'n iawn.

Roedd Betsi yn weithiwr caled ac yn benderfynol o wneud ei marc. Gweithiai dros 20 awr y dydd gan gysgu ar lawr pan oedd cyfle prin i gysgu o gwbl.

YCH A FI!

Cyn i'r nyrsys gyrraedd roedd 10 gwaith mwy o filwyr yn marw o glefydau nag o anafiadau'r brwydro.

Dychwelodd i Gymru gyda'i hiechyd yn fregus ac wedi blino'n llwyr. Bu'n gweithio gydag awdur gan adrodd hanes ei bywyd lliwgar a'i hanturiaethau, ond bu farw Betsi cyn i'r llyfr gael ei gyhoeddi.

Heddiw, mae Bwrdd Iechyd Betsi Cadwaladr yng Ngogledd Cymru yn cyflogi dros 18,000 o staff ac yn darparu gofal meddygol i 700,000 o bobl. Byddai Betsi'n falch iawn o hynny!

BOD NEU BEIDIO Â BOD...

Yn hoff o'r theatr byddai Betsi yn diddannu criw'r llong drwy berfformio tameidiau o ddramâu William Shakespeare.

Crimea

"Na" x 20

Yn ei hunangofiant dywedodd Betsi fod 20 o ddynion wedi gofyn iddi eu priodi.

Cyn Betsi a'r criw

Dillad gwely glân ✗
Sebon ✗
Dillad llawn llau ✓
14 bath i 2,000 o filwyr ✓
Rhannu llestri budr ✓
Lloriau a waliau afiach ✓
Bwyd gwael ✓
Toiledau ✗
Llygod mawr dan y gwely ✓

5 mlynedd ar ôl Rhyfel y Crimea

Gwyddonydd Ffrengig o'r enw Louis Pasteur yn profi bod organau anweledig o'r enw germau yn achosi afiechydon ac yn cario clefydau.

WYDDOCH CHI?

165

Goroeswr olaf Rhyfel y Crimea oedd crwban o'r enw Timothy a fu farw yn 2004 yn 165 mlwydd oed. Timothy oedd masgot ac anifail anwes y llong ryfel *HMS Queen*. Ar farwolaeth Timothy darganfyddwyd ei bod yn ferch!

KATE BOSSE-GRIFFITHS

Eifftolegydd: O'r Almaen, i'r Aifft i Abertawe

Wittenberg, Yr Almaen
1910–1998

Yn 1933 daeth y Natsiaid, criw o bobl greulon, i redeg gwlad yr Almaen. Fe wnaethon nhw fywyd yn anodd i filoedd o bobl, gan gynnwys Iddewon. Cafodd nifer fawr eu hel i garchardai a gwersylloedd.

Gan nad oedd hi'n ddiogel iddyn nhw aros, gadael yr Almaen oedd penderfyniad nifer, gan geisio cael lloches mewn gwledydd eraill. Un a wnaeth y penderfyniad anodd i adael teulu a ffrindiau ar ôl oedd Kate Bosse-Griffiths.

Eifftolegydd oedd Kate, yn arbenigo ar hanes gwlad yr Aifft.

Dywedodd ffarwél i'r Almaen, camu ar fwrdd llong a chael lloches ym Mhrydain. Yma, disgynnodd mewn cariad gyda Chymro o'r enw J. Gwyn Griffiths.

Ond nid yn unig gyda'i gŵr y disgynnodd Kate mewn cariad – ond hefyd gyda Chymru a'r iaith Gymraeg.

"Disgynnais mewn cariad â mynyddoedd Cymru o'r edrychiad cyntaf."

Dwy flynedd ar ôl cyrraedd Cymru, ysgrifennodd Kate ei nofel gyntaf – yn Gymraeg!!!

"PENRHYNDEUDRAETH"

oedd y gair cyntaf Cymraeg i Kate ei ddefnyddio mewn llythyr.

Aeth Kate a Gwyn i fyw yn y Rhondda ac wedyn ymlaen i Abertawe. Yno, dechreuodd Kate gatalogio (gosod trefn ac ymchwilio) casgliad enfawr Prifysgol Abertawe o dros 5,000 o eitemau gwerthfawr o'r Aifft.

Roedd Kate fel ditectif yn ceisio darganfod hanes a stori'r eitemau ac roedd wrth ei bodd yn egluro'r hanes i ymwelwyr ifanc fyddai'n dod i'w gweld.

Yn 1998 oherwydd ei gwaith diwyd hithau ac eraill agorwyd Canolfan Eifftaidd Abertawe.

Ewch yno i weld pa drysorau ddarganfyddwch chi!

CROESO I'R AMGUEDDFA

Hyd yma, mae 130 o byramidiau wedi cael eu darganfod yn yr Aifft.

Casgliad yr Aifft, Prifysgol Abertawe

Mynnodd Kate fod holl labeli'r amgueddfa yn Gymraeg ac yn Saesneg.

BYW AR ÔL MARW

Credai'r Eifftiaid mewn bywyd ar ôl marw felly bydden nhw'n mymeiddio corff gan gredu y byddai enaid y person yn byw am byth.

Astroffisegydd - gweld bydysawd mewn gronyn o lwch sêr

HALEY GOMEZ

Y Barri 1979

Dechreuodd popeth i Haley gydag anrheg gan ei hathro ffiseg; llyfr. Nid llyfr cyffredin, ond llyfr am y gofod.

Dyna oedd y sbardun ddechreuodd ei diddordeb mewn astroffiseg. Darllenodd lyfr ar ôl llyfr am y gofod gan fynd yn ei blaen i'w astudio ym Mhrifysgol Caerdydd. Hi oedd y cyntaf o'i theulu i fynd i brifysgol ac mae hi'n arbenigwraig fyd-eang yn y maes. Mae hefyd yn mynd o gwmpas ysgolion yn dysgu gwyddonwyr y dyfodol.

Arbenigedd Haley ydi llwch cosmig – sut, ble a phryd mae'n cael ei greu.

"Mae teimlad y darganfyddiad hwnnw, a pha mor dda mae'n teimlo, yn fy ngwthio i i'w wneud o dro ar ôl tro."

Yn ei gwaith o astudio'r llwch cosmig mae Haley yn defnyddio data o loerenni a thelesgopau sydd yn y gofod, megis telesgop gofod Herschel.

Oherwydd ei gwaith arloesol rydym yn dod i ddeall mwy am y gofod o'n cwmpas.

"Y rhyfeddod diddiwedd sydd gen i am y bydysawd sydd yn fy nghwthio i gyflawni fy nghwaith ymchwil."

Cafodd Haley ei hysbrydoli gan Vera Rubin - astromegydd o America.

14

Ar grwydr gyda thelesgop

Wedi eich hysbrydoli gan Haley i edrych ar y sêr?

Dyma ychydig o fannau perffaith i chi wylio'r sêr yng Nghymru.

- Parc Cenedlaethol Eryri.
- Parc Cenedlaethol Bannau Brycheiniog.
- Cwm Elan.
- Parc Cenedlaethol Arfordir Sir Benfro.

Edrychwch am ddigwyddiadau seryddol yn eich ardal chi.

Wyddoch chi?

Mae'r gofod yn hen iawn ac fel pethau hen eraill mae'r gofod yn casglu llwch – llwch sy'n byw rhwng y sêr. Mae'r llwch yma yn fach iawn, iawn. Mae un blewyn o dy wallt yn 0.6 µm, ond mae un gronyn o lwch sêr yn 0.1µm.

Beth ydi astroffiseg?

Cwestiwn da. Mae astroffisegwyr (am air mawr!) yn astudio sut mae planedau a sêr yn gweithio a sut datblygodd ein bydysawd.

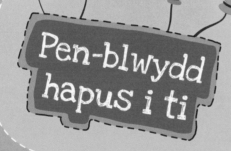

14, 000, 000, 000

Pen-blwydd hapus i ti

Mae'r bydysawd tua 14,000,000,000 blwydd oed. Mae hynny'n lot fawr o ganhwyllau ar gacen, tydi!

Telesgop Gofod Herschel

- Anfonwyd y telesgop i'r gofod yn 2009 o Ganolfan Gofod Guiana yn Ne America.
- Teithiodd 1,500,000km drwy'r gofod yn danfon gwybodaeth a data yn ôl i'r Ddaear.
- Telesgop Herschel oedd y telesgop is-goch mwyaf i'w lansio i'r gofod.
- Roedd drych 3.5 metr o hyd ynddo.

40t

40 TUNNELL

Faint o fater (stwff o'r gofod) sydd yn disgyn ar y Ddaear bob dydd?

Yr un faint o bwysau ag wyth eliffant mawr.

AWTSH!

15

JADE JONES

Hogan aur Sir Fflint

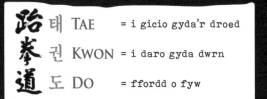
Y Fflint 1993

"Clwb Taekwondo – dewch i roi cynnig arni" oedd ar y poster a welodd taid Jade Jones ar wal y ganolfan hamdden.

"Perffaith i Jade," meddyliodd, "i'w chadw allan o drwbl."

Yn 8 oed i ffwrdd â Jade i'w dosbarth taekwondo cyntaf yng nghanolfan hamdden y Fflint. Daeth allan yn wên o glust i glust.

Gadawodd Jade yr ysgol uwchradd yn 16 oed i ganolbwyntio ar y taekwondo, a byddai Martin, ei thaid, yn ei gyrru hi'n ôl a blaen i Fanceinion 4 gwaith yr wythnos ac i Gaerdydd ar benwythnosau er mwyn iddi gael hyfforddiant gan yr hyfforddwyr gorau.

Wyddoch chi?
Mae canolfan hamdden y Fflint bellach wedi ei enwi'n Bafiliwn Jade Jones.

Daeth pobl y Fflint at ei gilydd i godi £1,600 i'w hanfon hi i bencampwriaeth y byd. Cyrhaeddodd y rownd derfynol gan ddod yn ail i Hou Yozou o Tsieina.

Roedd Jade yn ddigalon ond yng Ngemau Olympaidd Llundain 2012 daeth cyfle Jade i serennu.

Cyrhaeddodd y rownd derfynol a phwy oedd yn sefyll rhyngddi hi a'r fedal aur...? Hou Yozou. Wynebodd y ddwy ei gilydd gan ymgrymu ac ymladd.

6–4 oedd y sgôr derfynol a Jade yn fuddugol.

BETH YDI TAEKWONDO?

Steil o ymladd o Korea sy'n defnyddio cicio i'r pen o'r corff fel ffordd o sgorio pwyntiau

Egwyddorion Taekwondo
- cwrteisi
- gonestrwydd
- dyfalbarhad
- hunan-reolaeth
- ysbryd di-ildio

跆 태 TAE = i gicio gyda'r droed
拳 권 KWON = i daro gyda dwrn
道 도 DO = ffordd o fyw

AMSERLEN HYFFORDDI JADE

9-12am - campfa, rhedeg a chodi pwysau.

12-3pm - gorffwys.

4-6pm - sesiwn galed o taekwondo.

POB DYDD!

Taflodd ei helmed i'r awyr gan redeg o gwmpas y stadiwm gyda baner y ddraig goch yn gadarn yn ei llaw.

"Tydi o ddim yn teimlo'n wir, mae'n teimlo'n wallgo. Elli di ddim curo'r teimlad. Profiad gorau fy mywyd i," meddai Jade ar ennill ei medal aur gyntaf.

Yn ôl yn y Fflint roedd cannoedd o'i chefnogwyr yn gweiddi ar y teledu, yn gwylio eu hogan nhw yn ennill y fedal aur, y Gymraes a Phrydeinwraig gyntaf i ennill medal yng nghamp taekwondo.

Bedair blynedd yn ddiweddarach cipiodd y fedal aur unwaith eto yng Ngemau Olympaidd Rio ym Mrasil.

Ond tydi'r freuddwyd ddim ar ben gan fod Jade bellach yn hyfforddi i geisio ennill ei thrydedd medal aur yng Ngemau Olympaidd Tokyo, Japan yn 2020.

Pob lwc, Jade!

57kg - Categori pwysau ymladd Jade.

POST, PLIS!

Mae blwch post yn y Fflint wedi'i beintio'n aur i nodi buddugoliaeth Jade.

TACSI TAID

39,104 MILLTIR

Y nifer o filltiroedd mewn blwyddyn roedd taid Jade yn ei yrru i sesiynau hyfforddi!

Medal aur i Martin hefyd, os gwelwch yn dda.

PEIDIWCH TRIO HYN ADREF

Llysenw Jade ydi "The Headhunter" gan ei bod yn hoff o sgorio pwyntiau drwy gicio pen ei gwrthwynebwyr.

Frances Hoggan

Doctor cyntaf benywaidd Cymru a Phrydain

Aberhonddu
1843–1927

Mae merched heddiw yn gwneud gymaint o wahanol swyddi – gofodwyr, gyrwyr lorïau, cyfarwyddwyr, athrawon, hyd yn oed deifwyr tanfor.

Ond... doedd merched ddim yn arfer gwneud y swyddi yma, na chael mynd i'r ysgol chwaith. Dychmygwch hynny!

Un a frwydrodd yn erbyn hyn oedd Frances Hoggan o Aberhonddu. Cred Frances oedd bod merched bach yr un mor glyfar â'u brodyr. Roedd tad a mam Frances yn meddwl yr un peth, ac yn wahanol iawn i ferched eraill ei hoes fe gafodd Frances fynd i'r ysgol a chael addysg dda.

Roedd gan Frances freuddwyd – roedd hi am fod yn ddoctor.

Dyma freuddwyd fach syml iawn i ferched Cymru heddiw, dim ond i chi weithio'n galed yn yr ysgol. Yn anffodus i Frances, 176 o flynyddoedd yn ôl, yn Oes y Frenhines Fictoria, doedd merched ddim yn ddoctoriaid.

Er bod Frances yn amlwg yn ferch alluog dros ben, "Na, na, na!!" oedd yr ateb a gâi gan bob prifysgol.

Ond roedd Frances yn ferch benderfynol iawn.

O'r diwedd fe gafodd hi "Ie!" gan brifysgol yn Zurich yn y Swistir lle roedd merched yn cael astudio i fod yn ddoctoriaid.

Yn 1867 enillodd Frances radd mewn meddygaeth.

Roedd hi nawr yn ddoctor – doctor benywaidd cyntaf Prydain, y cyntaf un!

Cafodd yrfa lwyddiannus iawn gan weithio'n galed i sicrhau bod merched bach mewn gwledydd fel Cymru, India ac America yn medru cael yr addysg a'r cyfleon roedden nhw'n eu haeddu, fel y cafodd hithau.

MERCH GLYFAR, GLYFAR IAWN

5 – nifer y blynyddoedd o astudio i fod yn ddoctor.

3 – nifer y blynyddoedd a gymerodd Frances i fynd yn ddoctor!

DR A DR

Pan briododd Frances a George Hoggan, nhw oedd y pâr priod cyntaf o ddoctoriaid.

MEDAL FRANCES HOGGAN

Mae Medal Frances Hoggan yn cael ei rhoi fel gwobr i ferch o Gymru sydd yn arbenigo mewn gwyddoniaeth, meddygaeth, peirianneg, technoleg neu fathemateg.

FH

Cafodd Frances ei haddysg mewn sawl gwlad:

Cymru

Y Swistir

Ffrainc

Yr Almaen

Iwerddon

10,401
Y NIFER O DDOCTORIAID CYMRU SY'N FERCHED.

+GWYCH!+

संस्कृतम्

Sandscrit

- iaith o India roedd Frances yn rhugl ynddi. Dysgodd yr iaith wrth astudio am ei gradd mewn meddygaeth.

MAIR RUSSELL-JONES

Craciwr codau o fri

Astudio Cerddoriaeth ac Almaeneg ym Mhrifysgol Caerdydd oedd Mair Russell-Jones ar ddechrau'r Ail Ryfel Byd (1939–1945). Yn annisgwyl cafodd dap ar ei hysgwydd wrth gerdded i lawr y stryd.

"Clywed eich bod chi'n medru siarad Almaeneg yn dda ac yn datrys posau," meddai'r dieithryn.

Roedd o'n gywir. Roedd Mair yn dda am wneud posau yn enwedig croeseiriau a phosau mathemategol.

Gosododd y dyn dieithr sialens iddi, "Gorffennwch y croesair yma mewn 12 munud neu lai a bydd galw arnoch chi i ddod i weithio efo ni yn Llundain ar brosiect cyfrinachol."

Wrth gwrs fe orffennodd Mair y croesair ac i ffwrdd â hi i weithio ym Mharc Bletchley oedd yn fwrlwm o fathemategwyr a dyfeiswyr – yn cyflawni gwaith cyfrinachol iawn yn ystod y rhyfel.

Roedd y gwaith mor gyfrinachol taw enw Bletchley yn ystod y rhyfel oedd Gorsaf X, a doedd neb i fod i wybod am ei bodolaeth.

Pam dewis Mair?
Siarad Almaeneg ✓
Darllen cerddoriaeth ✓
Hoffi posau ✓
Deall mathemateg ✓
Gallu cadw cyfrinach ✓

Roedd Mair mor dda am gadw'r gyfrinach fel na ddywedodd wrth neb am ei gwaith am dros 50 mlynedd. Dim ei ffrindiau, na'i gŵr na gweddill ei theulu.

"Roedd y 4 blynedd a dreuliais ym Mharc Bletchley ymysg fy mlynyddoedd hapusaf... yn mwynhau gwybod fy mod yn rhan o'r timau mwyaf cyffrous i gynrychioli Prydain erioed," oedd atgof Mair o'r cyfnod.

Heddiw mae Parc Bletchley yn amgueddfa a chewch fynd yno i weld Cwt 6, y cwt roedd Mair yn gweithio ynddo i newid cwrs y rhyfel.

WYDDOCH CHI?

Athrylith mathemategol o'r enw Alan Turing wnaeth greu dyfais o'r enw'r Bombe a graciodd god y peiriant Enigma. Ar ôl y rhyfel, defnyddiwyd y Bombe i greu a datblygu'r cyfrifiaduron sydd gyda ni heddiw.

Beth oedd y peiriant Enigma?

- Dyfais codio negeseuon yr Almaenwyr.
- Danfon negeseuon cudd.
- Yr Almaenwyr yn credu na fyddai neb yn medru darllen a datrys y negeseuon.

Bob tro roedd llythyren yn cael ei theipio mewn un peiriant byddai'n ymddangos fel llythyren arall o'r wyddor.

Neges Wreiddiol = **Dwi'n caru Cymru**

Neges o beiriant Enigma = **AESB WDYG WUFYG**

Swydd Mair oedd edrych am y patrymau cudd yn y negeseuon.

Prosiect Gorsaf X: Darllen, dehongli a datrys negeseuon cudd roedd y gelyn (yr Almaenwyr) yn anfon at ei gilydd drwy beiriant o'r enw ENIGMA.

Parc Bletchley mewn rhifau

12000

– nifer o bobl yn gweithio yng Ngorsaf X (8,000 ohonynt yn ferched).

1460

– nifer y diwrnodau a gymerwyd i gracio peiriant Enigma.

6000

– nifer y negeseuon oedd yn cyrraedd yn ddyddiol.

Y gred yw bod gwaith Gorsaf X wedi cwtogi'r rhyfel 2-4 blynedd ac arbed hyd at 21,000,000 o fywydau.

DA IAWN, MAIR A THÎM GORSAF X!

Eileen Beasley

Sefyll dros yr iaith

Llangennech
1921–2012

Weithiau mae pethau sy'n ymddangos yn fach yn medru troi yn bethau mawr. Dechreuodd stori Eileen a'i gŵr Trefor pan laniodd amlen fach ar fat y drws.

Ynddi roedd llythyr gan Gyngor Llanelli yn gofyn iddynt dalu treth cyngor – llythyr Saesneg.

"Does dim synnwyr yn hyn," meddai'r ddau. "Rydyn ni'n siarad Cymraeg, a gweithwyr y cyngor yn siarad Cymraeg ac eto maen nhw'n gyrru llythyrau Saesneg!"

Yn yr eiliad honno, daeth y Beasleys i benderfyniad. Fydden nhw ddim yn talu'r dreth hyd nes cael llythyr yn Gymraeg.

A dyna ddigwyddodd.

Gwrthododd y Beasleys dalu.

Er bod ganddynt blentyn bach a babi ar y ffordd – dim talu!

Er bod ganddynt dŷ i'w gadw – dim talu!

Er bod llawer o bobl y pentref yn methu deall pam – dim talu!

Am 8 mlynedd gwrthododd y Beasleys bob ymgais i'w cael i dalu'r bil treth. Hyd yn oed pan ddaeth y beili i'r tŷ safodd y Beasleys gyda'i gilydd a gwrthod talu.

Annwyl Eileen, dal ati!

Derbyniodd Eileen gannoedd o lythyrau o gefnogaeth o bob cwr o Gymru, Ewrop a hyd yn oed America.

X Beasley

Pleidleisiwch dros Beasley

Yn 1958 enillodd Eileen etholiad, gan fod yn un o'r merched cyntaf yng Nghymru i fod yn gynghorydd.

Cymerodd y beili'r piano, wedyn gweddill dodrefn y tŷ. Daeth y beili yn ôl dro ar ôl tro ac yn araf bach gwagiwyd y tŷ. Codwyd y carped o'r lolfa a mynd â'r soffa a'r ddesg. Yr unig bethau ar ôl oedd potiau jam cartref Trefor.

"Yn y diwedd roedd nifer o anrhegion priodas wedi mynd," cofiai Eileen.

Daliodd ei thir.

Yn 1960, ar ôl brwydr hir a chaled, cyrhaeddodd amlen fach arall ar fat y drws. Ynddi roedd llythyr gan Gyngor Sir Llanelli yn gofyn iddynt dalu treth cyngor – yn DDWYIEITHOG!

Y diwrnod hwnnw, talodd y Beasleys y bil.

Heddiw, oherwydd safiad a phrotest gwraig tŷ benderfynol o Langennech, mae statws swyddogol i'r iaith Gymraeg yng Nghymru.

Diolch, Eileen.

Wyddoch chi?

Mae rhwng 6,000 a 7,000 o ieithoedd yn y byd ac mae'r Gymraeg wedi bodoli ers bron 1,500 o flynyddoedd.

Pam ddim talu?

Rydyn ni'n siarad Cymraeg ✓

Y rhan fwyaf o bobl y pentref yn siarad Cymraeg ✓

Cynghorwyr sir yn siarad Cymraeg ✓

Dim statws swyddogol i'r iaith Gymraeg ✗

Dim arwyddion ffordd Cymraeg ✗

Dim ffurflenni dwyieithog ✗

16 o weithiau aeth Eileen a Trefor i'r llys – gan fynnu cael yr achos yn Gymraeg.

Llun: Freepik

Mae plac wedi ei osod ar y tŷ yn Llangennech i gofio am eu protest.

BETTY CAMPBELL

Athrawes ysbrydoledig

Yng nghanol bwrlwm dociau Trebiwt, Caerdydd – dociau prysuraf y byd a chymuned liwgar o bobl o dros 50 o wledydd – ganwyd Betty Campbell.

Roedd bywyd yn anodd i Betty a'i mam ar ôl i'w thad gael ei ladd yn yr Ail Ryfel Byd. Gweithiodd mam Betty yn galed i roi bob cyfle i'w merch.

Roedd Betty yn caru darllen ac enillodd ysgoloriaeth i ysgol uwchradd. Hi oedd un o'r ychydig wynebau croenddu yn yr ysgol ond doedd Betty byth yn ystyried ei hun yn wahanol. Roedd hi mor glyfar â'r merched eraill ac yn gweithio'r un mor galed.

Trebiwt, Caerdydd
1934–2017

Breuddwyd syml oedd gan Betty – roedd am fod yn athrawes. Ond ymateb creulon gafodd hi gan ei phrifathrawes i'r syniad – pwy fyddai'n rhoi'r cyfle i ferch fach groenddu fel Betty i wneud gwaith mor bwysig â dysgu?

"Es i'n ôl at fy nesg a chrio, ond roeddwn i'n fwy penderfynol byth wedyn. Roeddwn i'n mynd i fod yn athrawes."

Gwelodd hysbyseb yn y papur newydd fod Coleg Hyfforddi Athrawon Caerdydd yn derbyn nifer fach o ferched ar y cwrs dysgu am y tro cyntaf.

"Dwi am fod yn un o'r chwech yna," cyhoeddodd Betty wrth ei mam.

BETTY YN Y BAE

Mae cynllun ar droed i osod cerflun o Betty ym Mae Caerdydd.

24

> "Cyflawnodd Betty ei breuddwyd trwy waith caled a dyfalbarhad, a thorrodd i lawr y clwydi i eraill ddilyn ôl ei throed."
> Carwyn Jones, cyn-Brif Weinidog Cymru

Wrth gwrs derbynwyd hi i'r coleg ac aeth i Lanrhymni cyn mynd 'nôl i ddysgu yn ardal dociau Caerdydd.

Ond doedd popeth ddim yn fêl i gyd. Roedd ardal y dociau yn dlawd iawn a nifer o'r rhieni erioed wedi gweld athrawes groenddu o'r blaen.

Yn y 1970au creodd Betty hanes wrth iddi gael ei phenodi yn brifathrawes – prifathrawes groenddu gyntaf Cymru.

"Roeddwn i am adael i'r plant wybod bod pobl ddu yn gallu gwneud pethau mawr."

Gweithiodd plant Ysgol Gynradd Sgwâr Mount Stuart ar brosiect mawr ar Nelson Mandela gan ysgrifennu ato yn Ne Affrica. Pan ddaeth Mr Mandela ar ei unig ymweliad â Chymru yn 1998 aeth i weld ysgol Betty.

Ar ddiwedd gyrfa hir roedd Betty wedi gwneud mwy na dysgu, roedd hi wedi ysbrydoli cenhedlaeth ar ôl cenhedlaeth o blant ardal dociau Caerdydd i fod yn falch o'u milltir sgwâr.

PWY OEDD NELSON MANDELA?

Arweinydd protest hawliau pobl yn Ne Affrica, lle doedd pobl groenddu ddim yn cael yr un hawliau â phobl wyn. Treuliodd y rhan fwyaf o'i fywyd yn y carchar ond daeth yn symbol i bobl ledled y byd. Pan ddaeth allan o'r carchar, cafodd ei ethol yn Arlywydd De Affrica yn 1994.

BLE YN Y BYD? Tiger Bay

Daeth yr enw anghyffredin ar ardal dociau Caerdydd, Tiger Bay, oherwydd y cerrynt cryf sydd yn llifo yno o afon Hafren. Mae'r gantores enwog Shirley Bassey, fel Betty, hefyd yn dod o Tiger Bay.

LAURA ASHLEY

Cynllunwraig ffrogiau a ffasiwn

Sbotiau, streipiau a sgwariau – mae patrymau o'n cwmpas ni ym mhobman. Sbïwch chi!

Un oedd yn dwli ar batrymau, yn enwedig patrymau blodeuog, oedd Laura Ashley. Byddai Laura yn treulio oriau yn ymweld ag amgueddfa'r V&A yn Llundain, yn edrych ar gynlluniau a phatrymau'r ffrogiau oedd yng nghasgliad yr amgueddfa o Oes y Frenhines Fictoria.

Wedi ei hysbrydoli gan y patrymau yma penderfynodd Laura a Bernard, ei gŵr, sefydlu busnes a'i alw yn... Laura Ashley! Roedd Bernard yn credu y byddai cael enw merch ar y cwmni yn gweithio'n dda.

Ar fwrdd y gegin yn ei fflat bach dechreuodd y ddau argraffu sgarffiau a llieiniau sychu llestri i'w gwerthu yn lleol.

Roedd pobl wedi dotio ar y patrymau a phenderfynodd Laura ddechrau cynllunio ffrogiau – ffrogiau hir a rhamantaidd yn llawn patrymau blodau a ffrils. Roedd pawb eisiau cael ffrog Laura Ashley.

Daeth yn amlwg nad oedd ei fflat yn Llundain yn ddigon mawr i gynnal y busnes ac felly roedd yn rhaid codi pac... i Fachynlleth.

> "Rydw i'n hoffi pethau sy'n para am byth."

LONDON, PARIS, LLANIDLOES

Agorodd Laura ei siop gyntaf yn 35 Heol Maengwyn, Machynlleth, gyda hithau a Bernard a'r plant yn byw uwchben y siop. Roedd Laura yn edrych ar ôl yr ochr ddylunio a Bernard yn gofalu am yr ochr fusnes. Dechreuodd y cwmni gynhyrchu mwy na ffrogiau gan ddechrau ehangu i gynhyrchu pethau i'r tŷ hefyd.

Un diwrnod wrth yrru heibio gwelodd Laura a Bernard fod gorsaf reilffordd Carno yn wag a gyda lot o waith caled a dychymyg cafodd yr orsaf ei throi'n ffatri ddillad. Mae ffatri Laura Ashley yn dal yn y canolbarth hyd heddiw yn cynhyrchu paent, papur wal a llenni o batrymau poblogaidd Laura.

Tyfodd y busnes ar raddfa fawr ac agorwyd siopau rownd y byd i gyd – o Baris i Tokyo, Japan – ond anghofiodd Laura byth ei gwreiddiau yng Nghymru. Uwchben bob siop roedd arwydd yn darllen 'Laura Ashley: London, Paris, Llanidloes'.

WYDDOCH CHI?

Ganwyd Laura yn nhŷ ei mam-gu yn Nowlais oherwydd bod ei rhieni, oedd yn byw yn Llundain ar y pryd, eisiau i'r babi gael ei eni yng Nghymru.

YR ADEILAD HWN OEDD SAFLE SIOP GYNTAF LAURA ASHLEY

Mae arwydd yn dangos safle siop gyntaf Laura Ashley ar wal yr adeilad ym Machynlleth.

Mae 500 o siopau Laura Ashley o gwmpas y byd.

4000

Gwerthodd un siop Laura Ashley dros 4,000 o ffrogiau mewn wythnos.

Genefa - Y Swistir
Y siop gyntaf i Laura Ashley agor yn rhyngwladol.

"Newidiodd y ffordd yr oedd pobl yn gwisgo mewn ffordd ryfeddol iawn."

Cylchgrawn VOGUE

Angharad Tomos

Llanwnda 1958

Agor cist dychymyg plant Cymru

Gyda phedair chwaer doedd Angharad byth yn mynd i fod yn brin o ffrindiau i'w diddanu. Byddai'n creu llyfrau bach iawn, maint bys bawd, ar gyfer doliau a thedis ei chwiorydd.

Dyma ddechrau gyrfa lwyddiannus o ysgrifennu. Bellach mae Angharad wedi ennill Medal Ryddiaith yr Eisteddfod Genedlaethol ddwywaith (da iawn, Angharad) ond i bobl bach Cymru mae Angharad yn enwog am rywbeth arall – hi yw mam Rwdlan!

Dechrau syml iawn gafodd Rwdlan a chymeriadau Gwlad y Rwla. Aeth Angharad i wers gelf ar gyfer pobl ddi-waith. Tynnodd lun o wrach dda gyda het bigfain. Rala Rwdins ddaeth gyntaf, wedyn Ogof Tan Domen a chyn amser cinio cyrhaeddodd Mursen, y gath, a Rwdlan, y wrach fach ddireidus.

Felly roedd ganddi dwy wrach, un gath ac ogof ac roedd hi'n amser creu stori.

A dyna wnaeth hi – 16 o lyfrau Rwdlan gyda gwaith celf gwreiddiol gan Angharad. Bachodd ar bob cyfle i ysgrifennu – mewn carafán, ar fws a hyd yn oed pan oedd hi yn y carchar.

Mae dros 30 mlynedd ers y llyfr cyntaf yn y gyfres ac mae cymeriadau Gwlad y Rwla mor boblogaidd ag erioed. Yn ei chuddfan, y tu ôl i lyfr neu ddau yn dy lofft di, dwi'n siŵr fod gwrach fach ddireidus mewn het bigfain yn gwenu wrthi'i hun.

Mam Angharad oedd yr ysbrydoliaeth am Rala Rwdins, a'i chwaer fach ddireidus, Ffion, oedd Rwdlan. Pwy oedd yr ysbrydoliaeth am Strempan sgwn i?

Am ddegawdau roedd Angharad yn aelod blaenllaw o Gymdeithas yr Iaith ac roedd hi'n protestio yn aml i roi statws a dyfodol i'r iaith Gymraeg. Aeth i'r carchar nifer o weithiau am brotestio, peintio slogan ar golofn Trafalgar yn Llundain a dringo mast darlledu i brotestio dros gael sianel deledu Cymraeg.

Annwyl ddyddiadur...
Mae Angharad yn cadw dyddiadur ar ôl iddi gael ei hysbrydoli gan Anne Frank.

"Does neb yn rhy ifanc i gychwyn gwneud llyfrau."

"Yr wyf wedi ysgrifennu erioed."

WYDDOCH CHI?

Mae Angharad wedi ysgrifennu llyfr am Eileen Beasley. Byd bach, 'de!

Dewin Dwl

Ym Mharc Glynllifon ger Caernarfon mae cerflun o Angharad.

WRTH FYND Â CHYMERIADAU RWDLAN O GWMPAS YSGOLION MAE'R PYPEDAU WEDI EU GWNEUD O BOTELI SEBON LLESTRI.

Rwdlan

Gallwch ddarllen llyfrau Rwdlan mewn Almaeneg, Gwyddeleg a Llydaweg.

Jam Poeth yn Llydaweg ydi Tomm, Tomm, Tomm

Rala Rwdins – Houdourig

Dewin Dwl – Erell

Karout len!

TORI JAMES

Sefyll ar do'r byd!

Hwlffordd 1981

Un tro, wrth bobi cacen sbwng gyda'i mam-gu, ochneidiodd Tori. Roedd agor y potyn jam yn gwbl amhosib i'r ferch fach.

"Does dim ffasiwn air ag 'amhosib', Tori, pwt," atebodd Mam-gu gan annog iddi drio unwaith eto.

Agorodd Tori'r potyn jam, a mwynhau'r gacen ar ôl iddi ddod allan o'r popty. Anghofiodd hi fyth y wers bwysig a ddysgodd ei mam-gu iddi'r diwrnod hwnnw.

Pan oedd Tori yn ferch fawr roedd wrth ei bodd yn mynd ar anturiaethau yn yr awyr agored. Deffrodd un bore a meddwl ble yn y byd byddai'n mynd ar ei hantur nesa?

Dringo mynydd Eferest oedd ei breuddwyd hi.

FFAITH O'R FFEIL

Mae sawl enw gwahanol ar Eferest:

Sagarmatha (pen yr awyr) = Nepal

Chamolungma (mam y bydysawd) = Tibet

珠穆朗玛峰 / Zhumulangma Feng = Tsieina

Eferest: Wedi ei enw ar ôl Cymro, Syr George Everest

EFEREST

PERYGL!

- Mynydd uchaf y byd.
- Yn yr Himalayas, rhwng Nepal, Tibet a Tsieina.
- 4,742 milltir o Gymru.
- Mae'n tyfu 4mm mewn blwyddyn/40cm mewn canrif.
- Copa Mynydd Eferest 8,848 metr – uchder yr Wyddfa 8 gwaith ar ben ei gilydd!

TYMHEREDD -60

EIRA YN CWYMPO

RHEW A CHREIGIAU YN LLITHRO

AER YN DENAU

GWYNTOEDD 200+ MILLTIR YR AWR

Dillad angenrheidiol i ddringo Eferest:

- Het gynnes.
- Sbectol haul – mae pelydrau'r haul mor llachar wrth iddyn nhw daro'r eira.
- Siwt gynnes o blu hwyaid.
- Tanc ocsigen i anadlu.
- Cot *fleece*.
- Cot arall.
- Trowsus *fleece*.
- Sgidiau cadarn.
- Sanau coch.
- Menig.
- Fest a throwsus thermal.

DYCHMYGA 643 O FYSIAU DEC-DWBL

YN SEFYLL UN AR BEN Y LLALL – DYNA UCHDER EFEREST.

Ar ôl misoedd o baratoi ac wythnosau yn byw wrth droed y mynydd mawr a dyddiau yn dringo i'r gwersyll uchaf, roedd Tori yn barod i anelu am y copa. Gwisgodd ei dillad mynydda arbennig, gan gynnwys ei hoff bâr o sanau – rhai coch am Gymru – i anelu am y copa.

O'r diwedd, ar ôl 10 awr o ddringo di-dor, cyrhaeddodd Tori a'i chriw gopa'r mynydd – to'r byd – gan chwifio baner y ddraig goch.

Y Gymraes gyntaf i gyrraedd copa'r mynydd.

Tori James ydi'r unig Gymraes i gyflawni'r her... hyd yma!

"Os ydi merch o Sir Benfro yn gallu dringo mynydd uchaf y byd, mi fedri di hefyd wireddu dy freuddwydion. Y cwbl sydd eisiau ydi hunanhyder ac agwedd bositif."

John O'Groats

Land's End

O'r Alban i Gernyw

Roedd Tori yn rhan o'r tîm cyntaf erioed i deithio mewn llinell syth o Land's End yng Nghernyw (pwynt mwyaf deheuol Prydain) i John O'Groats (pwynt mwyaf gogleddol Prydain).

- **SIWRNE 1,100 KM.**
- **DULLIAU TEITHIO: BEICIO, CERDDED, CAIACIO.**

Anturiaethau eraill Tori

- Seiclo 2,400 cilometr o un pen o Seland Newydd i'r pen arall.
- Sgio 360 milltir mewn ras i gyrraedd Pegwn y Gogledd.

Tori a'i chaiac

Mae Tori yn dal record y byd am y siwrne hiraf yn croesi'r moroedd agored ym Mhrydain mewn caiac wedi iddi deithio o Gernyw i Sir Benfro.

Gwendoline a Margaret Davies

Casglu celf

Beth fyddet ti'n ei brynu am £1?

Beth fyddet ti yn ei brynu pe byddai £1,000 yn dy boced di?

Beth petawn i'n rhoi £50,500,000 i ti?

Wel, dyna'n union faint oedd gan ddwy chwaer, Gwendoline a Margaret Davies o Landinam, Powys.

Yn 1890, gadawodd taid y ddwy, David Davies, £500,000 yr un iddyn nhw. £50 miliwn fyddai gwerth hwnnw heddiw.

Llandinam
Gwendoline (1882–1951)
Margaret (1884–1963)

Sut wnaethon nhw wario'r arian?

Wel, yn ogystal â rhoi i achosion da roedd y ddwy'n dda iawn am gasglu pethau.

A beth hoffen nhw ei gasglu yn fwy nag unrhyw beth arall?

CELF!

Am ddegawdau, teithiodd y ddwy o gwmpas Ewrop a thu hwnt yn astudio hanes celf ac yn prynu cannoedd o ddarluniau gan rai o artistiaid mwyaf enwog y byd.

Roedd casgliad celf Gwendoline a Margaret yn werth ei weld.

Ac wyt ti'n gwybod beth wnaethon nhw gyda'r casgliad anhygoel, amhrisiadwy yma? Ei roi o i ni! Wir yr, rŵan!

Penderfynodd Gwendoline a Margaret roi dros 260 o weithiau celf i Amgueddfa Genedlaethol Cymru fel anrheg i'r genedl. Mae miloedd ar filoedd o bobl yn mynd i weld y lluniau bob blwyddyn.

The Beacon Light JMW Turner

Y Rhyfel Byd Cyntaf

Yn ystod y Rhyfel Byd Cyntaf (1914–1918) aeth Gwendoline a Margaret draw i Ffrainc i agor cantîn yn cynnig bwyd, diod a gorffwys i'r milwyr. Enillodd Gwendoline fedal am ei gwaith.

260+

- Gweithiau Celf yn rhodd i'r Amgueddfa Genedlaethol.

FFAITH O'R FFEIL

Roedd Gwendoline a Margaret yn hoffi teithio o gwmpas Ewrop mewn car moethus Daimler, lliw siocled.

Pwy oedd eu taid, David Davies?

Dyn cyfoethog iawn ar ôl iddo wneud ei ffortiwn yn adeiladu rheilffyrdd ac yn y diwydiant glo yn Oes y Frenhines Fictoria.

Mae cerflun ohono ar yr A470 yn Llandinam — cofia godi llaw arno pan rwyt ti'n ei basio.

Y tro nesaf rwyt ti yng Nghaerdydd (cartref yr Amgueddfa), beth am fynd i weld y lluniau? Cofia fynd â phapur a phensil efo ti, rhag ofn i ti gael dy ysbrydoli. Pwy a ŵyr? Efallai mai dy waith di fydd yn hongian ar furiau'r Amgueddfa un diwrnod, drws nesa i gasgliadau Gwendoline a Margaret Davies.

GEIRFA

Hylendid
– Cadw'ch hun a'ch amgylchedd yn lân, er mwyn atal afiechyd neu ledaenu afiechydon.

Lloches
– Caniatâd i rywun o wlad arall aros mewn gwlad wahanol oherwydd nad yw'n ddiogel iddynt ddychwelyd adref.

Meddygaeth
– Trin salwch ac anafiadau gan feddygon/nyrsys.

Mymeiddio
– Proses pan mae corff marw yn cael ei gadw, trwy ei rwbio gydag olewon arbennig a'i lapio mewn defnydd.

Hunangofiant
– Llyfr am dy fywyd.

Negodi
– Siarad er mwyn datrys problem neu drefniant busnes.

Ymgrymu
– Mae pob brwydr taekwondo yn dechrau gyda'r ddau wrthwynebwr yn plygu eu pennau at ei gilydd i ddangos parch.

Treth
– Y ffordd mae'r llywodraeth yn hel arian gan bobl i dalu am wasanaethau ac adnoddau fel ysgolion, cynnal ffyrdd, golau stryd, heddlu ayyb.

DEDDF IAITH NEWYDD

SUT I FOD YN WYCH MEWN 5 CAM

1. BETH AM YMUNO Â'R CYNGOR YSGOL?

Mae'n ffordd dda i ti gael mynegi barn a helpu dy gyd-ddisgyblion.

2. NODDI MERCH.

Nid pob merch fach yn y byd sydd yn cael cyfle i gael addysg fel ti. Beth am noddi merch a chael y cyfle i rannu llythyrau a dysgu am fywyd eich gilydd?

Ewch i wefannau Action Aid neu World Vision i ddarllen mwy.

3. DARLLEN.

Dyma gyfrinach i ti, darllen ydi'r ffordd gyflymaf a rhataf i deithio'r byd neu i neidio'n ôl mewn amser, a chwrdd â llond trol o gymeriadau – heb adael dy ystafell wely. Cofia ymweld â llyfrgell lleol a siop llyfrau Cymraeg.

4. CADW DYDDIADUR.

Does dim rhaid i ti ysgrifennu lot, dim ond brawddeg neu ddwy yn mynegi sut wyt ti'n teimlo a beth wnest ti mewn diwrnod. Cei di lot o hwyl yn edrych yn ôl arno mewn 20 mlynedd.

5. PA GLYBIAU CHWARAEON LLEOL SYDD AR GAEL YN DY ARDAL DI?

Beth am drio rhywbeth hollol newydd – karate, sboncen, rygbi, gwnïo, pobi bara, trampolînio, dawnsio stryd... Mae'r posibiliadau yn ddi-ben-draw.

BYDD WYCH!

GENOD GWYCH

CHWILAIR GENOD GWYCH

C	E	L	F	T	H	T	G	D	P	G
S	D	W	R	A	I	S	A	Y	A	H
I	I	E	W	E	D	E	R	S	T	D
G	T	F	D	K	E	N	N	G	R	C
A	E	E	L	W	M	A	T	U	W	O
R	C	R	A	O	P	S	E	R	M	D
S	T	E	N	N	A	N	T	U	R	I
I	I	S	M	D	A	L	U	A	P	W
L	F	T	D	O	C	T	O	R	B	L
E	P	R	O	T	E	S	T	D	W	M

DYSGU

DITECTIF

CELF

COD

DOCTOR

PATRWM

PROTEST

RWDLAN

SÊR

SIGÂR

TAEKWONDO

EFEREST

ANTUR

Jade Jones: Anelu am yr aur

DECHRAU

Alli di helpu Jade i ddarganfod ei ffordd drwy'r ddrysfa?

Gyda dwy fedal aur o Gemau Olympaidd Llundain a Rio, mae Jade am geisio am ei thrydedd medal aur.

PA LWYBR SYDD YN ARWAIN AT YR AUR?

KATE BOSSE-GRIFFITHS

Kate Bosse-Griffiths yn yr Aifft

Pa un o'r Chwilod yr Aifft yma sydd yn wahanol i'r gweddill? Ar ôl i ti weld yr un gwahanol, beth am eu lliwio?

CHWILEN YR AIFFT

Roedd celf pobl yr Aifft yn llawn symbolau. Un o'r rhain oedd Chwilen yr Aifft. Roedd y chwilen yn symbol am barhad bywyd ac yn cael ei gweld fel creadur lwcus. Mae delweddau lliwgar o'r chwilen wedi eu darganfod gan archeolegwyr yn yr Aifft ar gelf, llythyrau a gemwaith gwerthfawr, a hyd yn oed y tu mewn i ambell fymi.

Sgwennu stori gydag Angharad Tomos

Ar ôl ysgrifennu dwsinau o lyfrau am gymeriadau Gwlad y Rwla, beth all Angharad ysgrifennu amdano nesaf? Pa syniadau sydd gen ti?

Un diwrnod, yng Ngwlad y Rwla...

Gwendoline a Margaret Davies:

Casglu celf

Does dim rhaid i ti fod yn awdur, yn anturwraig neu'n ofodwraig i fod yn wych. Mae 'na ferched ffantastig o'n cwmpas ni bob dydd.

Beth am i ti dynnu llun geneth wych neu ferch fedrus sydd wedi dy ysbrydoli di?

Mair
Russell-Jones

Cracia'r Cod

Mae neges frys angen ei datrys. Fedri di gracio'r cod cudd?
Defnyddia'r allwedd isod i weld beth yw'r neges.

a	b	c	ch	d	dd	e	f	ff	g
α	β	χ	χη	δ	δδ	ε	φ	φφ	γ

ng	h	i	j	l	ll	m	n	o	p
νγ	η	ι	φ	λ	λλ	μ	ν	ι	π

ph	r	rh	s	t	th	u	w	y
πη	ρ	ρη	σ	τ	τη	υ	ω	ψ

Neges gudd

τψδι ηων ψν λλψφρ δα.

Χψμρυ αμ βψτη.

Helô – ti'n wych!

CROESO I GLWB GENOD GWYCH A MERCHED MEDRUS.

FEL AELOD NEWYDD MAE HI'N HOLLOL HANFODOL BOD MANYLION DY FFEIL YN CYWIR!

Ateb y cwestiynau isod.

Enw:

Oedran:

Brodyr neu chwiorydd?

Enw dy anifail anwes:

Ysgol:

Hoff degan:

Blwyddyn:

Hoff fwyd:

Athro/Athrawes:

Beth sydd yn gwneud i ti chwerthin?:

Enwau dy ffrindiau:

Unrhyw sgiliau cudd:

43

Bydd wych!

Sut wyt ti am newid y byd? Defnyddia'r gofod yma i nodi dy freuddwydion di am y dyfodol.

Yn y dyfodol dwi am...

Llinell amser

Geni Betsi Cadwaladr. — **1789**

1843 Geni Frances Hoggan.

Geni Amy Dillwyn. — **1845**

1854 Betsi Cadwaladr yn teithio i Benrhyn y Crimea.

Frances Hoggan yn ddoctor. — **1867**

1882 Geni Gwendoline Davies.

Geni Margaret Davies. — **1884**

1910 Geni Kate Bosse-Griffiths.

Gwendoline a Margaret Davies yn mynd i Ffrainc i nyrsio. — **1914**

1917 Geni Mair Russell-Jones.

Geni Laura Ashley.

Kate Bosse-Griffiths yn gadael yr Almaen.

Eileen Beasley yn gwrthod talu'r dreth.

Eileen yn ennill ei safiad i gael ffurflen ddwyieithog.

Agor siop gyntaf Laura Ashley ym Machynlleth.

1921 Geni Eileen Beasley.

Geni Haley Gomez. **1979**

1925

1981 Geni Tori James.

1934 Geni Betty Campbell.

Cyhoeddi llyfrau cyfres Rala Rwdins am y tro cyntaf.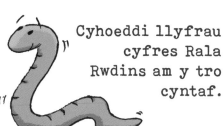

1936

1983

Mair Russell-Jones yn mynd i weithio ym Mharc Bletchley.

1941

1993 Geni Jade Jones.

1952

1998 Nelson Mandela yn ymweld â Chaerdydd.

1958 Geni Angharad Tomos.

Tori James ar ben mynydd Eferest.

2007

1960

Mair Russell-Jones yn datgelu ei gwaith cudd i'w theulu.

2011

1960 Betty Campbell yn dechrau hyfforddi fel athrawes.

Medal Aur Gemau Olympaidd cyntaf Jade Jones.

2012

1961

Ail fedal Aur Gemau Olympaidd Jade Jones.

2016

47

Mali Fflur Jones ⋆ Efa Lois Jones ⋆ Elsi Greta Jones ⋆ Maisie Amelia Sims

Heledd Anwen Rees ⋆ Efa Lois Hughes ⋆ Erin Ffion Burke ⋆ Mabli Fflur Williams

Matilda Luan Thomas ⋆ Miri Gwyn Watkin Jones ⋆ Mali Grug

Rhiannon Elizabeth Starr ⋆ Elsa Celyn Roberts ⋆ Loti Grug Roberts

Carwen Elin Gore ⋆ Melangell Elfair Williams ⋆ Nyfain Rhiannon Evans

Alaw Fflur Geraint ⋆ Shona Llwyd Roberts ⋆ Mia Llwyd Roberts

Mari Vaughan Rowlands ⋆ Huana Mai Annant ⋆ Maïwenn Enfys Watson

Myfanwy Hanna Watson ⋆ Gwennan Esyllt Watson ⋆ Tegwen Nanlys Edwards

Greta Grug Williams ⋆ Carina Enfys Hides ⋆ Cadi Myfanwy Lloyd Anderson

Eira Lliwen Lloyd Anderson ⋆ Lola Grace Pickup ⋆ Millie Rose Pickup

Nel Madrun Williams ⋆ Lisa Mair Thomas ⋆ Alaw Dafydd Thomas

Gwawr Eluned Morgan ⋆ Alys Martha Henden ⋆ Elan Mared Williams

Gwenno Ruth Jones ⋆ Olwen Mair Jones ⋆ Marged Eos Roberts ⋆ Martha Daniel

Sara Daniel ⋆ Anna Grug Thomas ⋆ Beca Elan Ebenezer ⋆ Delun Aur Ebenezer

Florence Louise Fryer ⋆ Nansi Gwenllian Fryer ⋆ Nel Gwyn Burgess

Gwenlli Rosina Thomas ⋆ Elliw Gryffydd Roberts ⋆ Cati Rees Roberts

Gweni Rees Roberts ⋆ Madlen Rees Roberts ⋆ Erin Edith Whitfield

Efa Mair Gruffydd Williams ⋆ Gwen Llywela ⋆ Anni Ray Gwyn

Breagha Medi MacFarlane Wynne ⋆ Elsa Rhun Scott ⋆ Sabel Enfys Scott

Gweneira Elias ⋆ Nel Angharad Willams ⋆ Megan Prys Howes ⋆ Anna Soffia Delve

Loti Mia Delve ⋆ Tirion Marged Tomos ⋆ Nanw Melangell Griffiths Jones

Ela Mablen ⋆ Mari Hawen Davies ⋆ Ava Elizabeth White ⋆ Loti Elis Lye-Scott

Erin Rhys ⋆ Caitlin Haf Pugh ⋆ Sophie Enid ⋆ Chloe Angharad

Celyn Fflur Davies ⋆ Beca Pritchard ⋆ Moli Wyn John Harben

Elliw Bevan-Silk ⋆ Beca Bevan-Silk ⋆ Sofia Bevan-Silk

Erin Smith ⋆ Mared Hopkins ⋆ Arwen Hopkins ⋆ Miriam Elsi Grim

Lois Angharad Llywelyn ⋆ Nel Elidir Pallot ⋆ Gwen Gibson ⋆ Mari Gibson

Nansi Fflur Owen ⋆ Elsi Alys Parry Jones ⋆ Elan Llyfni Fon Jones

Betsi Lŵ Myfanwy Hoyland ⋆ Liwsi Mô Hoyland ⋆ Robyn Mico Huxtable